Giel heeft een geheim

Giel

Ted van Lieshout

een

heeft

geheim

Illustraties **Sylvia Weve**
Uitgeverij Gottmer

Giel  een heeft

geheim

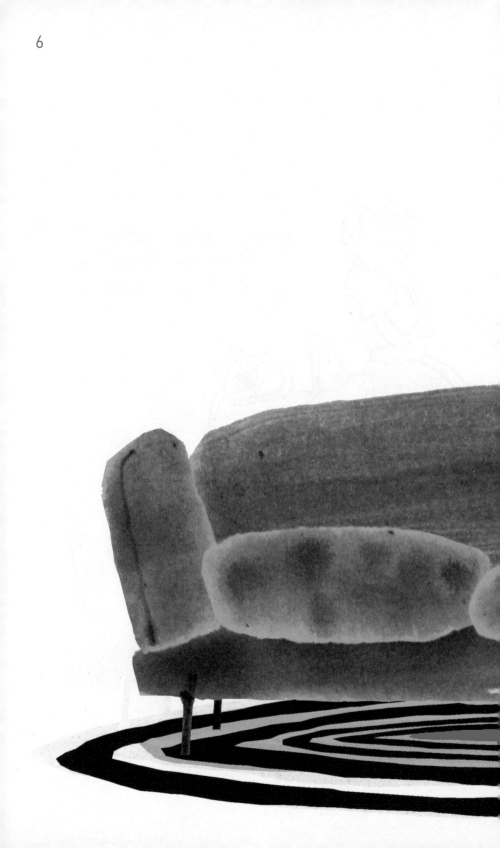

Giel heeft een geheim.
Niemand anders kent het.
Zelfs papa en mama niet.
Denk maar niet dat Giel het vertelt.
Hij kijkt wel uit.
Dan is het geen geheim meer!

Giel zit naast papa op de bank.
Hij heeft het geheim in zijn hand.

Papa wil het geheim dolgraag kennen.
Jammer dat hij niks kan zien.
'Doe je hand eens open,' zegt papa.
'Ik wil zien wat erin zit.'
'Nee hoor, dat doe ik niet,' zegt Giel.
'Ik doe mijn hand niet open.
Jij mag niet zien wat erin zit.'
'Waarom niet?' vraagt papa.
'Omdat het geheim is,' zegt Giel.
'Het gaat je lekker niets aan.'
'Pff,' doet papa.
'Ik ben slimmer dan jij.
Ik kom toch wel achter jouw geheim.'

Mama gaat naast Giel zitten.
Eerst kijkt ze nogal vals.
Dan kijkt ze hem poeslief aan.
'Dag Giel, geef mij eens een hand.'

Giel doet het niet.
'Toe, wees beleefd,' zegt mama.
'Vooruit, geef me een hand.'
'Nee,' zegt Giel, 'dat gaat niet.
Dan zie je mijn geheim.
Maar je mag wel een kus, hoor.
Wil je er een?'
Mama hoeft niet lang te denken.
'Dat spreekt vanzelf,' zegt ze.
'Ik heb liever een kus dan een hand,
dat moet ik eerlijk zeggen.'
Giel geeft zijn moeder een kus.

'Wil je een kus terug?' vraagt ze.
'Best wel,' zegt Giel.
'Dan krijg je er vijf,' zegt mama.

'Eén op elke vinger van je hand.
Geef maar hier die hand.
Nee, niet díé. Die!'
'Ik heb jou wel door!' roept Giel.
Bah, denkt mama.
Hoe kom ik nou achter het geheim?

Het is al laat.
'Giel, het is bedtijd.
Poets je tanden en ga je wassen.'
Giel gaat de trap op.
Hij ziet papa heus wel.
Die loert om het hoekje van de deur.
Hij ziet mama ook.
Ze ligt op haar buik onder het bed!
Giel doet net of hij niets ziet.
Hij stopt het geheim in zijn zak.
Dan poetst hij zijn tanden.

Mama kruipt onder het bed vandaan.
'Wat deed jij daar?' vraagt Giel.
'Ik zocht iets,' zegt mama.
'Wat dan?'
'Mijn oorbel,' zegt mama.
'Hoe komt die onder mijn bed?'
'Dat weet ik toch niet!' roept mama.
'Geef me je broek.
Hij moet in de was.
Morgen moet je een schone aan.'
Giel stopt zijn hand in zijn zak.
Hij pakt het geheim.

Dan trekt hij zijn broek uit.
'Hier,' zegt hij.
'Mijn zakken zijn al leeg, hoor.'
Jammer, denkt mama, mislukt!

'Heb je schone handen, jongen?' vraagt papa.
'Dat denk ik wel,' zegt Giel.
'Laat eens zien dan,' zegt papa.
Giel stopt het geheim in zijn mond.
Hij laat zijn handen zien.
'Slik het geheim niet door!' roept mama.
Giel schudt zijn hoofd.
Hij kijkt wel uit!
Dan kruipt hij in zijn bed.

Papa en mama zitten op de bank.
'Giel is veel te slim,' zegt papa.
'Een slimme zoon is op zich wel fijn.
Maar nu komt het erg slecht uit.'
Mama knikt.
'Maar wij zijn ook niet dom.

Ik niet, in elk geval.
Ik heb een vals plan,' zegt ze.
'We wachten tot Giel slaapt.
Dan sluipen we de trap op.
Ik leg gewoon een schone broek klaar.
Dan kijk ik naar het geheim.'
'Dat doen we,' zegt papa.

In huis is het stil en donker.
Mama en papa sluipen de trap op.
De deur van Giel piept.
Ze gaan zachtjes naar binnen.
Giel hoort niks.

Hij slaapt rustig door.
Papa kijkt in Giels hand.
Mama kijkt in zijn mond.
Geen geheim te zien.
'Waar is het?' vraagt papa zacht.
'Ik weet het niet,' fluistert mama.
'Is er wel een geheim?'
'Hij heeft het vast verstopt,' zegt papa.
'Dat denk ik ook,' zegt mama.
Ze kijkt onder het kussen.
Ze kijkt onder het bed.
'Ik kan het niet vinden!'
'Giel is te slim!' zegt papa.

In de ochtend wordt Giel wakker.
Hij staat op.
Snel pakt hij zijn schoen.
Daarin was het geheim verstopt!
Hij trekt de schone broek aan.
Dan gaat hij naar de keuken.

'Dag mama, dag papa,' zegt hij.
'Waar is het geheim?' roepen ze.
'In mijn vuist,' zegt Giel.
'Laat het ons nu eindelijk eens zien,' zegt papa.
'Of zeg wat het is!
Anders bind ik je vast op een stoel.
Dan bijt ik je hand open.
Dan... dan...'
'Nee,' zegt Giel, 'het is lekker geheim.
En denk maar niet dat ik bang ben.'
'Bah,' roepen papa en mama.
'Een kind mag geen geheim hebben,' zegt papa.
'Dat staat in de wet!'

'Dat jok je!' roept Giel.
'Het mag best. Of niet?'
'Het mag wel,' geeft mama toe.
'Maar voor ons is het erg zielig.
Jij hebt een geheim voor je eigen ouders!
Een lief kind vertelt juist alles.'
Ze snikt en snuit haar neus.
Ze heeft niet echt verdriet.
Het is maar alsof.
Dat ziet Giel heus wel.

'Goed,' zegt papa.
Hij zucht diep.
'Je krijgt 10 cent als je het vertelt.'
'Een euro,' zegt Giel. 'Daar doe ik het voor.'
'Dat is veel te veel,' zegt mama.
'50 cent is wel genoeg.'
'Nou goed dan,' zegt Giel.
'Kom maar op met die 50 cent.'
Papa moppert eerst nog.
Dan haalt hij geld uit zijn broekzak.
'En laat nu meteen het geheim zien!'

Giel lacht.
'Wat zie ik nou?' roept mama.
'Er zit een groot gat in je gebit!
Waar is je tand?'
'Hier,' zegt Giel.
Hij doet zijn hand open.
Daar ligt de tand.
'Hij zat los,' zegt Giel.
'Toen heb ik hem eruit gepulkt.'
'Is dat alles?' vraagt papa.
'Is dat nou het geheim?
Wat een stom geheim, zeg!'

'Niet,' zegt Giel.
'Het is juist een heel goed geheim.'
'Waarom dan?' vraagt mama.
'Het is gewoon maar een losse melktand.'
'Omdat het geheim geld waard is,' zegt Giel.
'Wel 50 cent.'
Papa en mama kijken elkaar verbaasd aan.
Giel heeft gelijk.
Ze hebben geld betaald voor een tand!
50 cent nog wel!

'Giel is veel te slim,' zegt mama.
'Dat is waar,' zegt papa.
Giel stopt het geld in zijn zak.
Hij is rijk.
Hij voelt in zijn mond.
Er zit nog een tand los.
'Wat doe je, jongen?' vraagt mama.
'Dat is geheim,' zegt Giel.

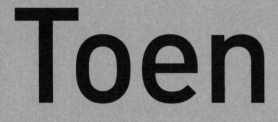

Toen

oma

weg was

Giel had drie oma's.
Oma Bos was niet zijn echte oma.
Ze was de oma van papa.
Ze was al erg oud.
Ver in de tachtig.

Oma Bos was ziek.
Ze lag al een maand in bed.
Ze wou er niet uit komen.
'Oma heeft verdriet,' zei papa.
'Ze mist opa Bos zo erg.'

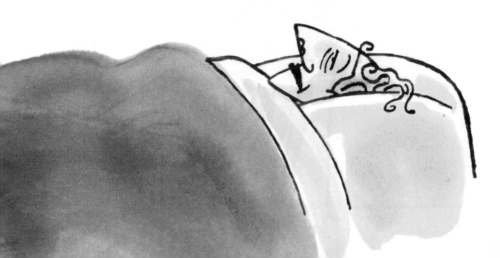

Opa Bos leefde niet meer.
Hij was dood.
Al twee maanden.
Het kwam ineens.
Zijn hart stond stil.
Zijn leven hield op.

Opa lag in een kist.
Giel had het zelf gezien.
Een kist met een zee van bloemen.
Bloemen en een krans met een lint.
'Rust zacht' stond erop.
En: 'Vaarwel'.

Toen, op een dag, was oma weg.
Ze had geen gedag gezegd.
Haar bed was leeg.

Er was een geheim.
Giel had het zelf gehoord.
Het was niet voor zijn oren bestemd.
Papa en mama praatten zacht met elkaar.
Maar de deur was niet dicht.
Papa zei tegen mama: 'Ze had zo veel verdriet.
Daarom is ze weggekwijnd.'

Maar tegen Giel had hij gezegd:
'Oma Bos is dood.'
Dat kon niet.
Want ze was weggekwijnd.
Maar Giel wist niet waar naartoe.

'Ze is bij opa Bos,' zei papa.
Dat klopte niet.
Opa was dood.
Maar oma was weggekwijnd.
Waar naartoe?

'Ik maak iets voor oma.
Tegen het verdriet.
Daar wordt ze wel beter van,' zei Giel.
'Dat is lief,' zei mama.
Hij kleurde een plaat.
Met rood en geel en blauw en groen.
Dat zag er blij uit.
'Hij is klaar,' zei Giel.

Mama hing het vel papier aan de muur.
'Hij is niet voor de muur,' zei Giel.
'Hij is voor oma.'
'Van waar oma is,' zei mama, 'kan ze hem zien.'
'Maar waar is ze dan?' vroeg Giel.
'Ik moet haar mijn kleurplaat geven.
Ik heb ook een kus voor haar.
En ik weet een mop.
Dan kan ze weer lachen.'

Papa en mama schudden hun hoofd.
'We hebben het je toch verteld?
Oma is bij opa Bos.
Opa en oma zijn dood.'

Giel wist dat dat niet waar was.
Opa was dood.
Maar oma was weggekwijnd.
Waar naartoe?

Giel pakte een tas.
Hij legde er zijn kleurplaat in.
Hij drukte zijn lippen op een stuk papier.
Dat was de kus.
Die moest ook in de tas.
De mop onthield hij wel.

Giel ging naar het huis van oma.
Het was niet ver lopen.
Hij ging door de tuin.

De deur van de keuken was dicht.
Dat was altijd zo.
Maar de sleutel lag in de schuur.
Giel wist waar.
Hij pakte de sleutel.
En hij deed de deur van het slot.
Toen kon hij naar binnen.

Alles stond er nog:
de kast, de tafel en de stoel.
De foto van Giel hing nog aan de muur.
In de keuken stond nog een pan.
Gewoon op het fornuis.
Zie je wel, dacht Giel.
Alles is er nog.

Alles wacht tot oma terug is.
Terug van weggekwijnd.

Boven stond het bed van oma.
Oma kon er zó in.

'Ik weet een mop,' zei Giel.
Hij kroop in oma's bed.
Misschien hoorde het bed hem.
Hij drukte zijn neus in het kussen.
Hij begon aan zijn mop.

Het bed moest erg lachen;
het schudde van de slappe lach.
Dat was een fijn gevoel, vond Giel.
Hij werd er loom van.
Zijn ogen vielen dicht.

'Ik weet een geheim,' zei Giel.
'O ja?' vroeg het bed.
'Ja,' zei Giel.
'Oma is weggekwijnd.'
'Je bedoelt dat ze de weg kwijt is?'
'Dat zou heel goed kunnen,' zei Giel.
'Ze is misschien verdwaald.
Omdat ze verdriet heeft.
Om opa.

Ik denk dat ze moest huilen.
Toen kon ze niet meer goed zien.
Dat kwam door al die tranen.
Dan loop je al gauw verkeerd.
Oma is weggekwijnd.
Maar ik weet niet waar naartoe.
Ik weet niet hoe ik haar moet vinden.'
'Ik dacht al,' zei het bed, 'waar blijft ze toch?'

Toen kwam oma binnen.
Ze ging bij Giel in bed liggen.
Alles was weer gewoon.
'Waar was je nou?' vroeg Giel.
'Ik was weggekwijnd,' zei oma.
'Waar naartoe?'
'Naar nergens,' zei oma.
'Maar nu ben ik terug.'

'Ik heb iets voor je meegebracht,' zei Giel.
'O ja?' vroeg oma.
'Een kleurplaat, een kus en een mop.
Tegen het verdriet.'

Giel deed de tas open.
Hij liet oma de kleurplaat zien.
'Word je er al een beetje blij van?'
'Een beetje wel,' zei oma.
'Maar nog niet genoeg.'

Toen gaf Giel oma een kus.
'Word je daar al een beetje blijer van?'
'O zeker,' zei oma.
'Maar het verdriet is nog niet over.'

'Er was een jongen,' zei Giel.
'Hij zat in een boot.
Een boot midden op zee.
Er was water om hem heen.
En nergens was land.
Hij was verdwaald.
Toen kwam er nog een boot.
En de jongen vroeg:
"Weet jij de weg naar het strand?"
Toen zei die ander:
"Je moet hier de hoek om
en dan de tweede straat rechts."'

Daar moest oma erg om lachen.
'Hoe kan dat nou?!' riep ze uit.
'Midden op zee kun je geen hoek om.
En er kan ook geen tweede straat rechts zijn.
'Daarom is het een mop,' zei Giel.
'Die is goed,' zei oma.
'Die vertel ik aan opa.
Ik ga meteen naar hem toe.
Anders vergeet ik de mop.'

Ze gaf Giel een kus.
Oma stond op.

Ze zwaaide naar Giel.
'Dag,' zei ze.
'Dag,' zei Giel.
Toen ging oma de kamer uit.
De deur viel met een klap dicht.

Giel deed zijn ogen open.
Van schrik of van de klap van de deur.
Daar stonden papa en mama.
'Stom joch,' zei papa.
Hij tilde Giel uit oma's bed.
'We waren bezorgd!' riep hij.
'Ben je van huis weggelopen?'
'Nee hoor,' zei Giel.
'Ik maakte oma aan het lachen.'

'O ja?' vroeg mama.
'Ja,' zei Giel.
'Nu is ze niet meer weggekwijnd.'
'Nee,' zei mama, 'oma is bij opa.'
'Dat denk ik ook wel,' zei Giel.
'Ze is naar opa toe.
Met een goeie mop.
Dat kan haast niet anders.'
'Gekkie,' zeiden papa en mama.

Toen ging hij naar de bloemen kijken.
Naar de bloemen en naar de krans met een lint.
'Vaarwel' stond erop.
En: 'Rust zacht'.
En Giel was blij.
Hij had oma gevonden.

Ze was bij opa Bos.
Hij had haar gered van het weggekwijnd zijn.
Met een mooie kleurplaat.
Met een kus.
En met een mop.

Lees ook

Ik ben een held

Illustraties **Sylvia Weve**
Uitgeverij Gottmer

TedvanLieshout

ISBN 978 90 257 5000 8

Ik ben een goochelaar!

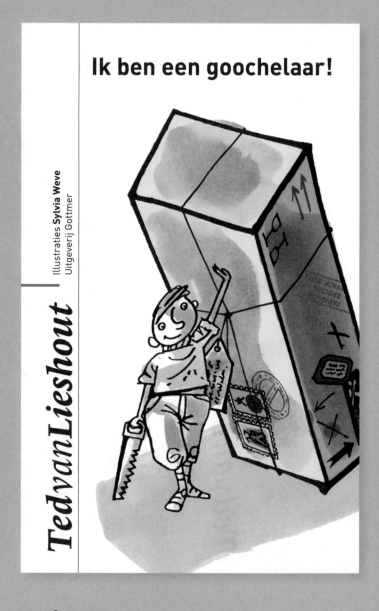

TedvanLieshout

Illustraties **Sylvia Weve**
Uitgeverij Gottmer

ISBN 978 90 257 5053 4

Luitje en de limonademoeder

Tedvan**Lieshout**

Illustrations **Sylvia Weve**
Uitgeverij Gottmer

ISBN 978 90 257 5136 4

Giel heeft een geheim
Eerste druk 1990
Derde druk 2012

Toen oma weg was
Eerste druk 1993
Twaalfde druk 2012

© 1990, 1993 tekst Ted van Lieshout
© 2012 illustraties Sylvia Weve

Voor deze uitgave
© 2012 Uitgeverij J.H. Gottmèr / H.J.W. Becht BV
Postbus 317, 2000 AH Haarlem (e-mail: post@gottmer.nl)
Uitgeverij J.H. Gottmer / H.J.W. Becht BV maakt deel uit
van de Gottmer Uitgevers Groep BV

Ontwerp en typografie
Bockting Ontwerpers, Amsterdam
ISBN 978 90 257 5172 2
NUR 282, 287

www.gottmer.nl
www.tedvanlieshout.com